KB103266

목서

목서

발 행 | 2024년 03월 21일
저 자 | 조승현
펴낸이 | 한건희
펴낸곳 | 주식회사 부크크
출판사등록 | 2014.07.15(제2014-16호)
주 소 | 서울특별시 금천구 가산디지털1로 119 SK트윈타워 A동 305호
전 화 | 1670-8316
이메일 | info@bookk.co.kr

ISBN | 979-11-410-7746-4

목서

조승현 지음

여는 말

Friendship

심장

11월

매그놀리아

2387411715

기차역

그림자

근육

고요

가로등이 깜박입니다

빨강

나른나른

흘러가는 시간과 같이 흘러간 이야기들입니다.
그대로 잊기엔 아쉬워 적어둔 이 이야기들이
책을 펼친 여러분에게 어떤 의미가 될 수 있다면
좋겠습니다.

Friendship

스물의 초입에서 열병은 들불같이 번진다.

마음을 젤리처럼 나눠 먹을 수 있을까.

듬성듬성 포크 자국에서 열이 들끓는다.

꿈을 꾸었던 나날들은 바랜 지 오래인데.

아니야 바래지 않았어

여전히 살아 움직이는 사진이야.

마법사가 빗자루를 타고 공을 쫓는다.

"그리핀도르!"

용기가 필요했던 날이 있었다.

아니다.

그저 네 손이 필요했던 날이 있었다.

내 마음을 듬뿍 떠가도 좋아.

달려와 날 안아준 날엔

그래 내 마음을 파헤쳐 짓뭉개놔도 좋아.

이 열병이 사그라들면 그때는.

다시 살아 움직이는 사진을 찍을게.

심장

안온한 세상입니다.
우리는 어디로 가고 있습니까.
무언가 깨져버린 것만 같습니다.
늙은 여인이 꽃을 바라봅니다.
노랗게 핀 꽃은 순간입니다.
꽃을 도화지 위로 옮깁니다.
어린 손이 노란 크레파스를 쥡니다.
길다란 선이 그어지고,
찬란한 꿈입니다.
무지갯빛 어린 유리공이 바닥을 구릅니다.
찬란하고 찬란한 빛.

한 때 바위였던 모래가 태양을 가립니다.

그림자가 파도처럼 일렁입니다.

하얀 물거품은 반짝이지 않고

애초에 존재하지도 않았습니다.

사랑한다는 말은 믿어도 됩니까?

붙잡을 세상이 허물어지는 속에서

깨져버린 사랑을 끌어안고 추락합니다.

꿈 꾸다가 멎어버릴 겁니다.

여기 멈춰버릴 겁니다.

깨고 싶지 않았습니다.

허무한 무지개를 바라보며 되뇌입니다.

안온한 세상입니다.
무너진 세상입니다.

11월

시간을 되감는 상상을 해.
태엽 몇 번 감으면 아주 먼 과거로 떠날 수 있는 상상.
바람에 먼지가 휘날리고 있어.
스쳐가는 별빛 속에서 우리를 봤지.
그때의 우리는 서로에게 닿지 않는 희망을 내밀었어.
별은 누군가의 태양이야.
모든 생명의 근원이자 중심.
있지,
태양이 내리는 밤에는 어떤 꿈을 꿔?
난 언제나 눈물을 흘려.
깨진 정류장에서 깃발을 펄럭이고,

차가운 대리석엔 얼음이 엉겨붙어.

닿지 않는 희망이란 영원과 다르지 않지.

너는 영원을 내밀었어.

나는 받지 않고, 그게 이 모든 일의 이유야.

다시 태엽을 감자.

태양이 생명을 키워내는 오늘.

이제야 눈치를 챘지.

내 모든 것은 여기 있었다는 걸 말이야.

시간은 앞으로 흐르고.

매그놀리아

언젠가 친구가 물은 적이 있다.

사랑에 빠지는 순간은 언제이냐고.

그걸 자각하는 순간은 언제이냐고.

나는

어느 순간 세상이 멈춘다면 그건 사랑이라 답했다.

세상이 멈추면 사랑이라

흰 나무 아래서 세상이 멈춘 적이 있었다.

사랑이었나.

꿈이었나.

기억나지 않았던 순간이 있었다.

이제야 깨닫는다.

그래, 그 순간은 봄의 사랑이었다고.

사람을 보고 나서야

세상을 사랑했다는 걸 깨닫는다.

지워진 잎들에게 전하지 못할 말들만 남았다.

하얀 물감이 캔버스에 번진다.

노랗게 핀 꽃은 순간입니다.

2387411715

깃털이 내려앉습니다.

살랑 -

그림자가 길게 집니다.

찾아온 건 깃털인데

나는 왜 그림자 아래일까요.

깃털에 닿고 싶어 사다리를 가져왔습니다.

사다리에 올라도 깃털엔 닿지 않더군요.

사다리 꼭대기까지 오르기엔 내가 겁이 많았습니다.

절반 정도만 오르고도 겁이 나 덜덜 떠는 걸요.

깃털은 저 멀리 날아오릅니다.

사다리에서 내려와 포기하려 했습니다.

다시 내려앉는 깃털을 보지 못했다면 그랬을 겁니다.

그림자가 길게 집니다.

쓴맛에 잠이 오지 않습니다.

혀 끝에 단맛이 남았습니다.

기차역

사진 몇 장을 받았습니다.

낡디 낡은 종이 포장지에 싸여 배달된 사진이었지요.

포장지의 검은 글자가 흐릿해져 누가 보냈는지조차 알 수 없었습니다.

조심히 뜯어낸 그 종이 안에 무슨 사진이 들어있었는지 아십니까?

제 사진이었습니다.

낡고 낡아 기억도 나지 않는 시절의 웃음이었습니다.

저는 당황하고 말았습니다.

조금 힘들고 가끔 거짓이긴 해도

여전히 잘 웃고 사는 줄 알았는데,

그 사진 속의 웃음은 왜 그리 맑을까요.

우울 한 점 묻지 않은 말간 웃음에 나는 울고 말았습니다.

사진은 꽤 많았습니다.

열댓 장 정도 되려나요.

책상을 뒤엎고 신나하는 꼬마가 있었고,

시리얼을 봉지 채 입에 쏟아붓는 꼬마가 있었고,

한여름 더위 아래에서 바나나 우유 입에 물고 웃는 꼬마
가 있었습니다.

그러다 고개를 들어보니 검은 TV에 비친 우울이 있었습
니다.

아직 어른이 채 되지 못한, 여전한 꼬마가 있었습니다.

왜 몰랐을까요.

변한 건 없고, 난 여전히 여기 있는데.

설령 변했더라도 난 여기 있는데

왜 지나간 것들만 아름답다 생각하며 그리워했을까요.

내 웃음을 거짓이라 치부한 것은 그 누구도 아닌 나였습니다.

지금 흐르는 눈물은 진실입니다.

낡디 낡은 종이 포장지 속 꼬마가 보낸 선물입니다.

그림자

홀로 남겨진 게 언제였는지
여기 남은 게 언제였더라
온기가 낯설어지고 말았어
분명히 여기 있었는데
길을 잃었어요
혼자 방향을 정하는 법 같은 건 알려주지 않았잖아
가로등 밑에 웅크린 앞에
오래된 연인이 사랑한다 고백하고
사랑은 단 하나의 은유에서도 생겨날 수 있다고 했어
남은 기억을 더듬어보면
기억나는 건 결국

발걸음 손가락 머릿결 귓볼

뒷모습

기다려도 돼?

머물고 머물고 머물다

여기 고여있어요

데리러 와줄래?

8행, 밀란 쿤데라 [참을 수 없는 존재의 가벼움]

근육

S는 형광등 아래 누워있다. S는 눈을 깜박였다. 한 번, 두 번, 세 번, 그리고 다시 한 번, 두 번, 세 번. 형광등은 깜박이지 않는다. 네모나게 환하게. 형광등은 제 소임을 다하고 있다. S는 제 소임을 다하고 있는가. S가 해야 할 일은 무엇인가. 애초에 그런 게 있었던가. 형광등 불빛이 S의 머릿속에 시커멓게 번져간다. 언제부터였는지 기억이 나지 않는다.

기억하지 못하는 것일까 기억하지 않는 것일까 기억할 수 없는 것일까 없었던 것은 어떻게 찾아내야 하는가

S는 골치가 아팠다. 꼭 구역질이 날 것만 같아 S는 형광등을 향해 혀를 길게 내밀었다. 건조한 공기가 혀의 수분을

천천히 앗아갔다.

　텁텁한 기분에 S는 마른 혀를 손가락으로 쓸어보았다. 미세한 돌기가 손에 쓸리는 느낌.

　S는 낯선 것이 좋았다.

고요

눈을 감는다.

이미 새벽 2시를 넘긴지라 눈을 뜨는 것과 감는 것에는 별 차이가 없다.

아무리 발악해도 여전히 먹먹한 어둠 속.

심장이 허공에서 박동하고, 먼지가 세포 속에 가라앉는다.

그 무게에 아주 오래 고통스러워했지만(하지만) 어쩐지 그것이 본질인 것 같기도 하다.

온전히 평안해본 적이 드물어 평안이라는 말 자체가 성립하지 못하는 속에서

소란한 고요.

가만히 부유한다.

가로등이 깜박입니다

가끔은 견디기 버거운 날도 있지만
으레 그렇듯 다들 그렇듯 견딥니다살아갑니다
살아있습니다
버티는 삶이 삶이라면 어떻게 살아갈까요
아니 잘못 생각한 듯싶습니다
버티는 삶이 삶이라면 그저 버티면 되는 것이지요
너무 오래 울지 않기로 했습니다
하루가 지나고 하루가 지난다면

승용차가 도로와 마찰하는 밤입니다

빨강

여기보다 꿈나라가 더 예뻐.

비에 흠뻑 젖은 K는 울면서 말했다.

비 오는 날 울면 눈물이랑 빗물은 어떻게 구별해?

K는 꿈나라가 어디인지 말해주지 않았다.
나는 눈물과 빗물을 구별하는 방법을 듣지 못했다.
K는 그랬다.
눈물과 빗물을 구별하는 방법을 알면서도 끝내 말해주지
않는 애였다.

K는 웅덩이 한 가운데에 풀썩 쓰러졌다.

꿈나라에 가고 싶다고 했다.

나는 비 오는 날을 제법 좋아했는데 K 때문에 다 글렀다.

웅덩이 한 가운데 누워버린 K를 보면서

나는 눈물과 빗물을 구별하는 법을 배웠다.

K를 볼 때 흐르던 것은 눈물이었다.

비 오는 날 울면 눈물이랑 빗물은 어떻게 구별해?

나른나른

바람이 훅 불어온 여름 아침.

바람은 수많은 공기 자락 중 하나를 몰래 전해주었다.

바람이 몰고 온 건 지구 반대편 겨울의 온기.

공기 자락 속 따뜻한 겨울이 조금만 기다려달라고 쩌렁쩌렁 외치는 것을 나만 들었다.

여름은 너무 추웠다.

끈적한 습도 사이로 서로를 노려보는 심장이 너무 시렸다.

뜨거운 열정과 열기는 다 드라마일 뿐이다.

거짓말.

무언가 조금 더 깊은 온기가 필요했다,
사람과 사람이 맞닿아 전해지는
말하자면, 체온.
손가락, 손, 팔, 등, 목, 그렇게 포옹.
끌어안는 게 어색하지 않은 겨울.
하얀 입김.

과호흡

하늘이 찢어집니다
물이 뚝뚝
뚝뚝뚝
찢어진 틈새로 물이 뚝뚝 흐릅니다
세상이 뒤집히는 순간에는 모든 차들이 경적을 울립니다
경고 경고
고백합니다
그 수많은 거짓말 중에서 당신이 보고싶다는 말은 결코
거짓이 아니었으니
믿어주신다면 기쁘게 떠나겠습니다
생각보다 조용한 하루군요

하늘을 보지 않는 사람들에게 하늘이 찢어지는 것쯤은 별
일 아니었습니다
찢어진 하늘을 꿰매보려는 아이들이 있었습니다
서툰 바느질은
아무 말도 할 수 없었습니다
바싹 마른 피부에 로션을 바르듯
작은 포옹을 펴발라 찢어진 하늘을 달래봅니다
고맙습니다
그제야 비가 내립니다

속삭임

고백할 것이 있습니다.

햇빛이 부서지는 모습을 본 적이 있습니까.

공기 조각이 반짝입니다.

시간이 지나면 바람을 먹고 구름이 되겠지요.

고백할 것이 있습니다.

이렇게 말을 빙빙 돌리는 까닭은

'사랑합니다'

내가 많이 서투르기 때문입니다.

오늘은 왜 오늘일까요.

마지막 내일을 기다리며 다시 오늘을 삽니다.

어제를 기억합니까.

걷고, 뛰고, 숨쉬고, 노래하던
어제를 기억합니까.
이별은 쉬운 일이 아니었습니다.
다시 고백합니다.
헤어지자는 첫 번째 고백을 뒤로 하고
내 손을 잡고
우리 내일도 내일을 볼까요.
뭉게구름을 보는 건 어떤가요.
찬란한 태양이 비친 바다도 좋아요.
가만히 입맞춥니다.

빨래

어쩌면 기억은 빨래 같아
축축한 채로 쌓아두면 냄새만 풀풀 나잖아
세제 넣고 잘 빨아서 하나하나 널어두면
햇볕 아래서 그제야 제 모습을 찾지
빨래 뭉텅이를 뒤적거릴 용기
구겨놓은 아픈 기억들을 펼쳐보고 잘 털어서 햇빛과 마주
할 용기
머금고 있던 습기는 하늘 저 멀리 떠나보내야
그제야 잘 마른 뽀송한 옷이 되는 거지
더 이상 아프지 않은 마음이 되는 거지

손톱

엄마는 덜덜 떨리는 내 손을 붙잡고 손톱을 꼭꼭 깎아주시며 말씀하셨다.

어린 아가들은 손톱이 얇아서 쉽게 찢어진다고.

그러니 뭉툭한 가위로 조심조심 오려줘야 한다고.

손톱깎이에 내 손톱이 툭툭 깎이는 소리가 들렸다.

"내 손톱 이제 두껍지?"

"그렇네."

어른이 되는 중인가보다.

어느새 내 손은 엄마와 비슷한 크기를 하고 있다.

우리 내일도 내일을 볼까요.

아스팔트

도로를 달리다 보니 뭉게 먹구름 아래였다.
시커멓게 비가 올 모양이었다.
지평선 너머까지 먹구름이 뿌옇게 도열해있었다.
바람이 불었고, 상처가 생겼다.
먹구름의 긴 상처 사이로 옅은 하늘이 드러났다.
옅은 하늘 위에 나풀나풀 새털구름이 날았다.
뭉게 먹구름에 저무는 햇살이 쬐였다.
먹구름은 금빛을 받아 분홍색을 내비쳤다.
어쩌면 나도 분홍색 먹구름이 될 수 있을지도.
그리 단조롭지만은 않을지도.

오뚝이

오뚝이
오늘부로 파업합니다
누워있을 자유를 주세요
오뚝오뚝 일어난다고 오뚝이라지만
우리도 쉬고 싶습니다
끊임없이 일어나야 하는 건 너무 가혹합니다
이리저리 흔들리는 것도 이제 지겹습니다
우리의 권리를 보장해주세요
우리에게 휴식을 주세요

바다에게

안녕.

있지, 나는 매일 매일 너를 생각해.

넓고 넓어서 끝이 보이지 않는 너의 끝을 보고 싶다고 말이야.

행성을 품에 안을 만큼 넓고도 깊은 너의 끝을 볼 수 있다면 그건 정말 멋진 일일 거야.

그거 알아?

먼 우주에서는 파란 지구를 푸른 별이라고 부른대.

그 파랑이 다 너라니.

그렇게 생각하면 나는 종종 가슴이 뛰어.

그리고 문득 깨달았어.

너는 끝이 보이지 않아서 낭만이 되었다는 걸 말이야.

너일 수밖에 없었나봐.

아주 아주 넓은 너의 낭만 속에 잠겨 언제까지라도 꿈 꿀 수 있을 것 같아서.

그런 상상을 하는 게 너무 따뜻해서.

이 마음은 어떻게 불러야 하는 마음일까.

너를 닮은 마음이니까, 네 이름으로 부를게.

바다.

이 마음은 바다야.

글자 속에 내 바다를 담아 보내.

부디 잘 도착하기를.

그리 단조롭지만은 않을지도.

순간과 사랑

겨울 오후 다섯 시, 이른 일몰이 찾아온다.
겨울의 일몰은 다른 계절과 다르다.
햇살이 더 길고, 더 따뜻하고,
무엇보다 완연한 금빛이다.
심장 바닥에서 둥둥 드럼이 울린다.
어쩐지 울컥 목이 메이는 색깔.
길게 창문을 넘어 들어온 햇살 아래 앉아있으면
허공을 부유하는 먼지와 함께 시간이 꼭 멈춘 것만 같다.
가만히 공기를 따라 흔들려본다.
눈을 감은 얼굴을 타고 태양빛이 뚝뚝 흘러 고인다.
그 빛을 받아먹어 추운 겨울을 따뜻하게 보낸다.

인사

똑똑

들어가도 될까요?

이 들판에는 당신뿐이군요.

혼자 있는 게 외롭지는 않았나요?

문을 열어주어 고마워요.

여기 이쯤에 앉을게요.

이 커다란 유리 돔은 당신이 지은 공간인가요?

고생이 많았겠어요.

이 유리 돔은 어떤 역할이에요?

아, 당신을 지켜주는 공간인가요.

공기가 충분한 공간이에요.

급하게 들이마시지 않아도 괜찮아요.

등줄기에 날선 긴장을 풀고

그래요, 그렇게 천천히 숨을 쉬어봐요.

선물을 하나 가져왔어요.

따뜻한 녹차인데 한 잔 들어볼래요?

마음에 들었으면 좋겠네요.

기분이 어때요?

나쁘지 않다니 다행이에요.

조금 더 가까이 앉아도 될까요?

밟지 않을게요.

당신이 더 자유롭게 늘어질 수 있도록

여기에 있을게요.

꿈 이야기를 들려주고 싶다고요.

얼마든지요.

…

신기한 꿈을 꾸었네요.

기다란 몸통에 팔이 두 개, 다리가 두 개, 맨 위에 머리가 달린?

꿈 속에서 직접 그런 생명체가 되어보니 어땠나요?

음, 그랬군요.

왜 엉엉 울고 있었던 것 같아요?

대답하지 않아도 괜찮아요.

아, 벌써 시간이 이렇게 되었네요.

이만 돌아가볼게요.

오늘도 이야기 들려줘서 고마워요.

좋은 일만 있기를 바라요.

실종

아파요

아파

나는 여기에 있는데 도대체 어디를 보고 있는 거예요

여기 있어요 시커먼 잿먼지 풀풀 날리는 가운데

뿌옇게 사라져가는 내 그림자가 보이나요

보인다고 말해줘요

그러면

그러면 나는 드디어

*

정신없는 공사판이었다

시끄러운 인부들의 외침과

시끄러운 중장비 엔진 소리에

모두가 정신을 바짝 차리는 와중에

*

알아요

나를 제외한 모두가 바빠요

수많은 시선이 지나가는 속에

나는 여기 멍청히 서서 무너진 건물 아래에서

모두가 바쁘고

바쁘고 바쁘고 바빠요

내 이름은 그리 중요한 정보가 아니죠

*

별일 없는 하루였다

고요한 하루가 얼마나 그리웠는지

소란한 시간을 겪고 나서야

온전한 하루를 맺는 게 얼마나 힘겨운 일인지 인정한다

*

한숨 자고 일어날게요

조금 자고

다시 먹고

숨을 쉬어보고 나면

그리고 다시 생각할래요

누군가 나를 찾아주기를 기다려요

좋은 일만 있기를 바라요.

염력

내가 움직이고 싶은 건 물건 따위가 아니야
네 마음이야
네 시선
네 호흡
너
내 힘이 너를 움직이면
그럼 좋아한다고 말해줄래

열아홉

향은 기억을 불러오고
가을의 금목서는
오늘을 떠올리게 해
다정한 엄마의 포옹과
고래가 사는 구름과
까슬까슬한 돗자리를 불러오겠지
1년 뒤에 금목서가 다시 피면
짙은 주황 위로 우리는 날아갈 거야

과학

사랑은 입자야
내 손 끝 출발선으로 터져나와
훌훌 저 멀리 떠나서
내가 사랑하는 심장에 닿을래
그 사람 호흡에 실려 들어가
심장에 닿으면
가슴 벅찬 두근거림 꼭 전해줘
그리고 나면 몸 속에 쏙 녹아들어
내 사랑의 일부가 될래
같이 박동할래
당신은 그 박동을 뭐라고 부를까

내 이름으로 불러줄래요
처음으로 벌어지는 당신의 입술

보이저 1호

'하루'라는 이름으로 지구가 한 바퀴를 돌아요.
가끔 밀려오는 파도를 맞으며
저 멀리서 불어오는 바람에는 짠내가 나요.
아이의 땀과 어른의 눈물이 묻어있죠.
나는 그 사이에 서있어요.
아이도 아니고 어른도 아닌 채로
모든 것이 될 수 있는 숨으로
그 어중간한 사이의 설렘이 꼭 우리의 전유물 같아서
그 순간에는 세상이 우리 것이어서
와하하 웃으며 바다를 가로질러요.
토성의 고리 위에 앉아볼까요.

목성의 줄무늬 위를 걷는 건 어떤가요.
노란 축구화에 뻥 걷어차인 공이 날아가
아이야, 저 별은 축구공이야.
우주까지 날려보내는 커다란 속삭임으로
별자리를 그려요.

졸업

심장 가운데 바다가 흘러넘쳐요
물은 모든 걸 기억하고 있어서
새벽과 아침과 한낮과 저녁과 자정을
삭과 초승과 상현과 보름과 하현과 그믐을
꽃과 열과 바람과 눈을
함성과 눈물과 포옹과 땀을
내 집을
수면 밑에서 찰랑이며 속삭여요
바다가 넘쳐 쏟아진 아쉬움은
공기로 돌아가 다시 바다에 채워지고
안녕이라는 말은 어렵지만

여기 남겨두고 언젠가 다시 말하려 해요

안녕

1년 뒤에 금목서가 다시 피면
짙은 주황 위로 우리는 날아갈 거야

첫

괄호 인사 괄호

.

어떤 말을 해야 할까요
고르고 고르다가
늦었나요
보고싶었어요
내 손목을 멍이 들 때까지 쥐고
사람마다 체취가 다르다지요
떨어지지 않는 그림자처럼

난 이제 상상할 수 있어요

나무 냄새

우유 냄새

누런 은행과 삐걱거리는 벤치

까슬까슬한 목도리와 차가운 손끝

메아리처럼 되돌려주세요

공백으로 당신의 말을 들을게요

이만 줄여요

닫음

장마

운동장이 바다처럼 반짝였어
금색이었고
비가 내렸어
우리는 노래했고
웃었고
누군가 소리쳤고
그래서 또 웃었어
물고기 같았지─ 너도 나도 우리가
뿌려지는 빗방울을 향해 얼굴을 치켜들고
멈추지 않는 뜀박질에 심장이 터질 때까지
비구름을 죄다 마셔버릴 듯 숨쉬면서

아,

알았어

그때 반짝였던 건 바다가 아니었던 거야

가로등도, 모래도 아니었어

2월

어중간하고 애매한 건
교차점이라서 그래
내가 물어봤는데
아직 준비가 안 됐대
근데 뭐 어떡해 준비가 다 되는 때가 어딨어
일단 시작하고 생각하자
진분홍 꽃망울에서 퍼진 진동이
노란 프리지아가 길을 걷고
난 아직 머물고 싶은데
원래 떠나야 할 때 떠나야 하는 거야
그런 거야?

떨어지지 않는 발을 질질 끌어

아직 많이 춥다

장갑 꼭 끼고

목도리도 해

…

그래

자작나무 숲

(엄마, 얘는 이름이 뭐야?

그 나무는 자작나무야.

왜?

불에 탈 때 자작자작 소리가 나서 자작나무야.

엄마, 나무가 하얀색이야.

맞아, 자작나무는 하얀색이야. 겨울에 보면 정말 예쁘대.

진짜?

진짜.

이거 보러 가자!

그럴까?

응!

오늘은 잘 시간이니까 가서 코 자고 내일 어디로 갈 지 정해보자.

자작나무 보러 가는 거 아니야?

그래, 자작나무 보러.)

그때 반짝였던 건 바다가 아니었던 거야

미로

비상 비상
이러다 꿈 속으로 끌려들어가고 말 거야
맞춰봐
어젯밤 기억은 꿈이었을까
분명히 일기를 썼던 것 같은데
남아있는 건 텅 빈 종이 책장에 꽂힌 다이어리
책상에 남은 글씨는 언제 썼던 거지
데구르르 -
툭
연필이 떨어지는 소리
손가락 튕기는 소리

잠에서 깨면 축축한 침대 속에서 웅크려
그리고 들리는 목소리

꿈이라고 생각해?

잠에서 깬다
다시 축축한 침대
이제 알아챌 수 없어

2015

이불 습기 창문 달걀 운동화 고무줄
돌멩이 신호등 깃발 소나무 해파리 잎사귀
청바지 나무블럭 지우개 털실 가루 냉기
종소리 햇빛 바닥 책갈피 사인펜 도장
떡볶이 가방 연필 뜀박질 계단 가시
포옹 강아지 마루 숟가락 시계 샴푸 동그라미
카세트 소음 손수건 틈새 투정 별

좋은 아침
좋은 꿈

자작나무 숲 2

초가을부터 눈이 내렸던 그해 겨울, R은 먼 곳의 자작나무 숲을 찾았다. 참 멀리 돌아온 길이었다. 남들 다 사는 삶이 우습게도 살아지지가 않아서 그렇게 오래 걸었더랬다. R은 담배 대신 입김을 피웠다. 하얀 연기가 하얀 나무 위로 뭉게뭉게 피었다. 하얀 눈 위로 자란 하얀 나무 사이에서 R이 있었다.

자작나무는 불에 탈 때 자작자작 소리가 나서 자작나무야.

이 아름다운 나무를 무엇하러 불에 태웠을까… R은 중얼거렸다. 까맣게 타서 재가 되어갈 때의 모습으로 불리다니.

R은 하얀 나무 앞에 웅크렸다.

안녕.

잘 지냈어?

R은 울었다. 아니, 나 잘 못 지내. 그러니 한 번만 더 물어 봐 줘. 계속 물어봐 줘. 내가 진짜 잘 지내게 될 때까지. 내가 웃으며 응, 나 잘 지내, 말할 때까지. 그렇게 칭얼거릴 곳이 없어서 R의 삶은 돌고 돌았다. 눈물이 떨어진 눈밭에 구멍이 송송 뚫렸다. R은 한참을 울었다.

R은 입김을 피웠다. 눈물 번진 붉은 눈을 하고서 하얀 입
김을 하, 뱉었다. 봄이 오면 하얀 눈도, 하얀 눈에 흘린 눈물
도 모두 모두 하늘로 날려 올라갈 테다. 그럼 그때는 입김
대신 미소를 띄워야지. 꼭 그래야지.

책상에 남은 글씨는 언제 썼던 거지

글 조승현

그림 이규원

사진 이가람

남은 말

　┌ 목서┘ 는 고등학교 때의 이야기입니다. 우여곡절 끝에
진학한 학교에서 울었던 날들을 합치면 못해도 1년은 훌쩍
넘길 겁니다. 그렇지만 결국 기억은 미화된다고, 마냥 그립
기만 해서 큰일입니다. 사랑을 많이 받았습니다. 그러니 약
속합니다. 잘 지내기로.

　엄마도, 아빠도, 동생도, 할머니도, 할아버지도, 모두
　선생님도, 친구도, 학교도, 모두
　모두 고맙습니다.